La Oveja Eléctrica

y la memoria del universo

José Gordon

Micro

ESTE LIBRO SE REALIZÓ CON APOYO DEL ESTÍMULO A LA
PRODUCCIÓN DE LIBROS DERIVADO DEL ARTÍCULO TRANSITORIO
CUADRAGÉSIMO SEGUNDO DEL PRESUPUESTO DE EGRESOS DE LA
FEDERACIÓN 2012.

Instituto
Nacional de
Bellas Artes

COPYRIGHT © DEL TEXTO, JOSÉ GORDON, 2013
COPYRIGHT © DE LAS ILUSTRACIONES, RICARDO GARCÍA MICRO, 2013

PRIMERA EDICIÓN: 2013

COPYRIGHT © EDITORIAL SEXTO PISO, S.A. DE C.V., 2013
PARÍS 35-A, COL. DEL CARMEN, COYOACÁN
C.P. 04100, MÉXICO, D.F.

WWW.SEXTOPISO.COM

DISEÑO DE PORTADA: RICARDO GARCÍA FUENTES
DISEÑO: QUINTA DEL AGUA EDICIONES, S.A. DE C.V.

ISBN: 978-607-7781-48-6

IMPRESO EN MÉXICO

La Oveja Eléctrica

y la memoria del universo
José Gordon
Micro

sextopiso

PARA LOS PONCHKES QUE TIENEN
DESPIERTA LA CAPACIDAD DE ASOMBRO

JOSÉ GORDON

A MIS PADRES: JUAN Y CLARA

MICRO

¿PUEDE SOÑAR UN ROBOT?

¿SE PODRÍA CONSTRUIR UN ROBOT IDÉNTICO A UN SER HUMANO?

A ESOS ROBOTS SE LES LLAMA ANDROIDES...

5

TE VOY A DAR UNA PELÍCULA QUE HABLA DE ELLOS. SE LLAMA *BLADE RUNNER*.

LOS ROBOTS SE PARECÍAN TANTO A LOS SERES HUMANOS QUE CUANDO LLOVÍA NO PODÍAS SABER SI ESTABAN LLORANDO.

He visto cosas que ustedes no creerían...

... Atacar naves en llamas más allá de la constelación de Orión...

... Todos esos momentos, como lágrimas en la lluvia, se perderán en el tiempo.

¡ESO ES MUY HERMOSO! ¡LOS ANDROIDES SON COMO NOSOTROS!

¡SÍ! SUEÑAN COMO NOSOTROS.

¿TAMBIÉN RONCAN?

NO TODOS... LA PELÍCULA ESTÁ BASADA EN LA NOVELA DE PHILIP K. DICK: ¿SUEÑAN LOS ANDROIDES CON OVEJAS ELÉCTRICAS?

¡YO QUIERO UNA OVEJA ELÉCTRICA!

PERO ES UN SUEÑO...

COMO NOSOTROS. A ESTA HORA SIENTO QUE ESTOY EN UN SUEÑO.

EL PRÓXIMO DOMINGO VAMOS A BUSCARLA AL MERCADO DE LA LAGUNILLA.

AHÍ SIEMPRE SE ENCUENTRAN MUCHAS COSAS RARAS. PERO AHORA DUERME.

¡AYÚDAME A ENCONTRAR A LA OVEJA ELÉCTRICA!

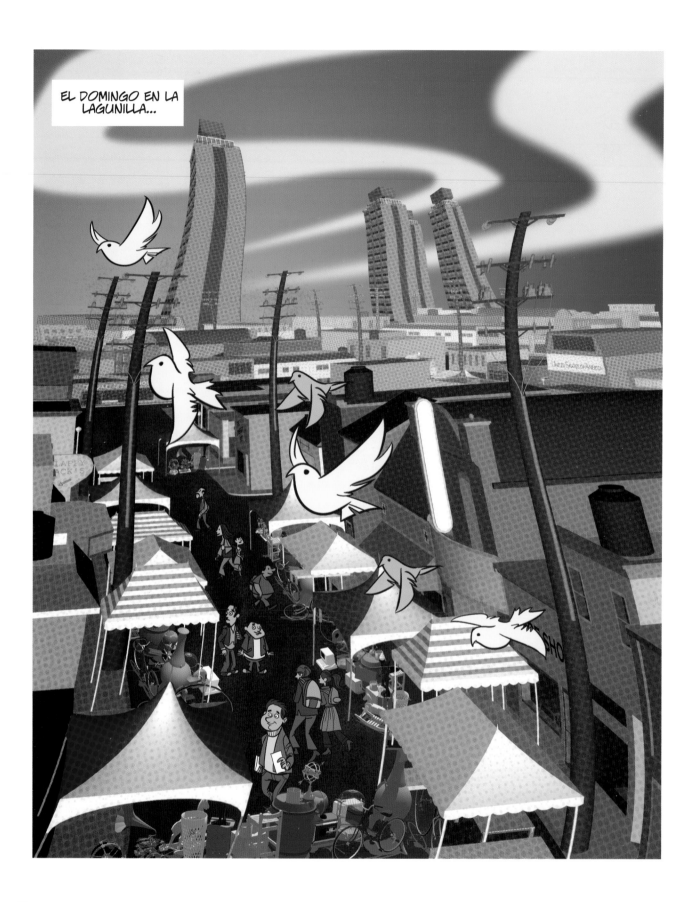

EL DOMINGO EN LA LAGUNILLA...

¿LA OVEJA ELÉCTRICA?

... Todos esos momentos, como lágrimas en la lluvia, se perderán en el tiempo.

¿CÓMO LE HIZO? LE VOY A PREGUNTAR A LA MORSA. ÉL ES EL ÚNICO QUE ME PUEDE EXPLICAR.

¡NO TE ME PIERDAS! ¡QUÉ SUSTO ME DISTE!

¿QUÉ ES ESO?

ES MI OVEJA ELÉCTRICA. ¡LA ENCONTRÉ!

¡ES UN BONITO ADORNO! ¡APÚRATE!

14

A la luz de las estrellas le toma millones de años llegar a la Tierra.

Cuando las vemos, miramos lo que pasó hace millones de años.

Las estrellas más lejanas no se ven, pero podemos detectarlas con radiotelescopios...

... y con exploradores de la radiación del fondo cósmico.

Así nos hemos asomado a lo más lejano de lo lejano: al origen del universo.

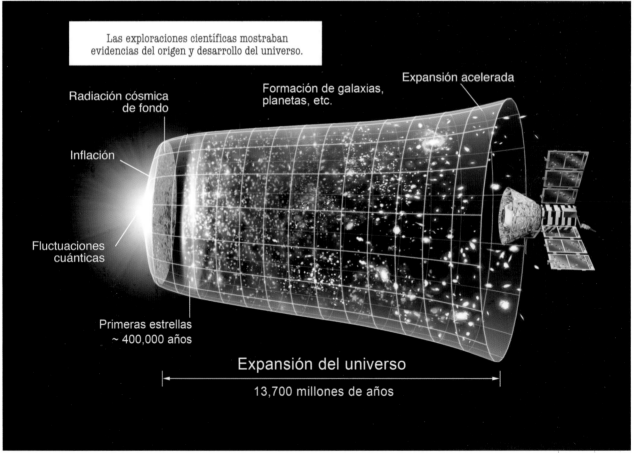

ÉSTE ES UN POEMA DE JAIME SABINES:

«LA LUNA SE PUEDE TOMAR A CUCHARADAS O COMO UNA CÁPSULA CADA DOS HORAS.

ES BUENA COMO HIPNÓTICO Y SEDANTE Y TAMBIÉN ALIVIA A LOS QUE SE HAN INTOXICADO DE FILOSOFÍA.

UN PEDAZO DE LUNA EN EL BOLSILLO ES MEJOR AMULETO QUE LA PATA DE CONEJO: SIRVE PARA ENCONTRAR A QUIEN SE AMA».

¡Riiiiiinng!

¿CÓMO LE HIZO?

TENGO UNA HIPÓTESIS. ¿ESTABA LLOVIENDO?

SÍ, ¿CÓMO SUPISTE?

¿QUÉ ES ESO?

LA ENCONTRÉ EN LA LAGUNILLA. CUANDO LA CONECTÉ POR PRIMERA VEZ LE SALIÓ DE LOS OJOS UNA PELÍCULA CON UNA ESCENA DE LLUVIA.

¡ESTO ESTÁ INCREÍBLE! ¡TIENE UNA MEMORIA FANTÁSTICA!

MIRA, AQUÍ TIENE UN CIRCUITO DE RECONOCIMIENTO DE VOZ.

CON LOS SENSORES VISUALES QUE TIENE, AL VER LA LLUVIA, SE CONECTÓ CON LA MEMORIA DE UNA PELÍCULA CON IMÁGENES PARECIDAS.

Ranulfo Romo.
Experto en el cerebro (UNAM)

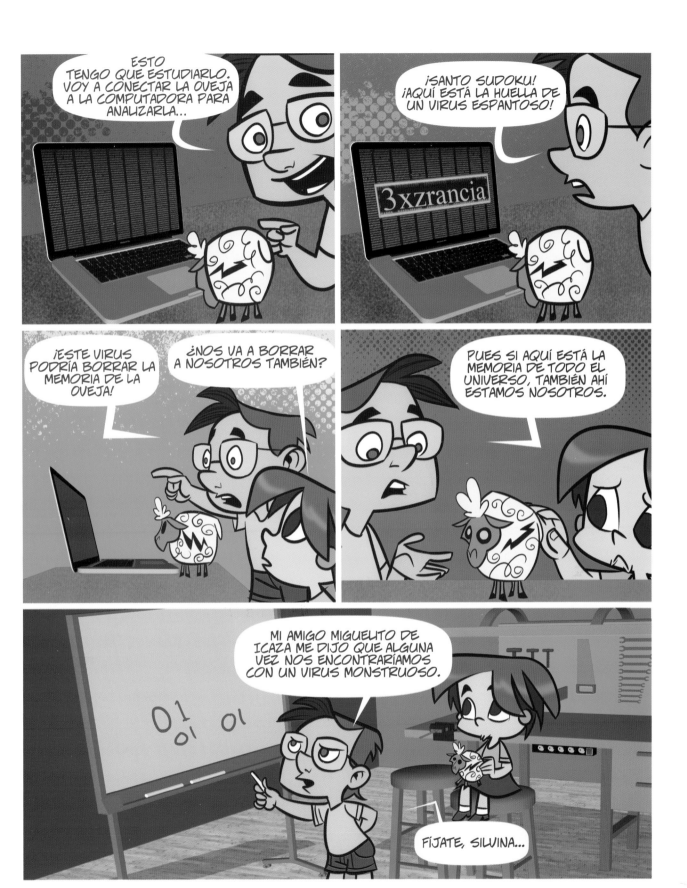

... ME PARECE QUE HA LLEGADO LA ÉPOCA DE LOS VIRUS EN 3-D QUE SE PUEDEN FILTRAR EN TODOS LADOS...

... Y BORRAR LA MEMORIA DE CUALQUIER MÁQUINA.

¿CÓMO PODRÍAMOS CREAR UN ANTIVIRUS?

???

SE ME OCURRE UNA IDEA. ¿POR QUÉ NO LE PREGUNTAMOS A LA OVEJA ELÉCTRICA? ELLA TIENE LA MEMORIA DE TODO.

Ahí hay un túnel donde se investigan las partículas más pequeñas del universo.

27km

Son tan pequeñas, que en un vaso de agua hay más de un cuatrillón de átomos.

Hay muchas menos estrellas en el universo que átomos en un vaso de agua...

ESTO ESTÁ INCREÍBLE, ¿PERO QUÉ TIENE QUE VER CON LOS ANTIVIRUS?

ESPÉRATE, CREO QUE SÍ TIENE QUE VER. LO QUE SE HACE EN ESTE LUGAR DEBE SER CLAVE PARA CONSEGUIR EL ANTIVIRUS.

... Estamos hechos de átomos casi invisibles. Parecen polvo...

Polvo serán, mas polvo enamorado.

Francisco de Quevedo.
Escritor español del Siglo de Oro

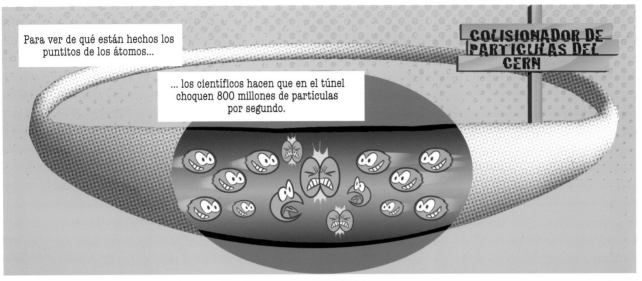

Para ver de qué están hechos los puntitos de los átomos...

COLISIONADOR DE PARTÍCULAS DEL CERN

... los científicos hacen que en el túnel choquen 800 millones de partículas por segundo.

Las aceleran para que le den la vuelta al túnel 11,245 veces por segundo.

KM 27

¡UUF! ¡TENGO QUE MEJORAR MI TIEMPO!

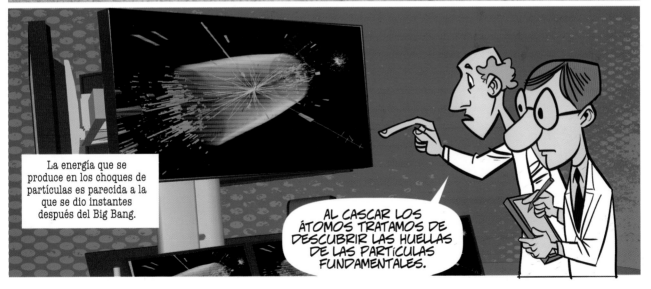

La energía que se produce en los choques de partículas es parecida a la que se dio instantes después del Big Bang.

AL CASCAR LOS ÁTOMOS TRATAMOS DE DESCUBRIR LAS HUELLAS DE LAS PARTÍCULAS FUNDAMENTALES.

33

Al investigar lo más pequeño de lo pequeño, se conoce la materia que dio origen al universo y a todas sus galaxias.

Y lo más básico que se descubrió a partir de los choques en el acelerador es una partícula a la que se le llama La partícula de Dios o el Bosón de Higgs.

Es como estar en el teatro del Big Bang.

¿POR QUÉ TE PORTAS TAN ESQUIVA? SIN EMBARGO, YA TE ENCONTRAMOS... ¡ERES EL BOSÓN DE HIGGS!

El Bosón de Higgs es uno de los ladrillos fundamentales en la construcción del universo.

Explica por qué las partículas tienen masa, por qué existen distintos cuerpos.

ESO ES MUY BELLO, PERO EXPLÍCAME OVEJITA, ¿QUÉ TIENE QUE VER CON EL ANTIVIRUS?

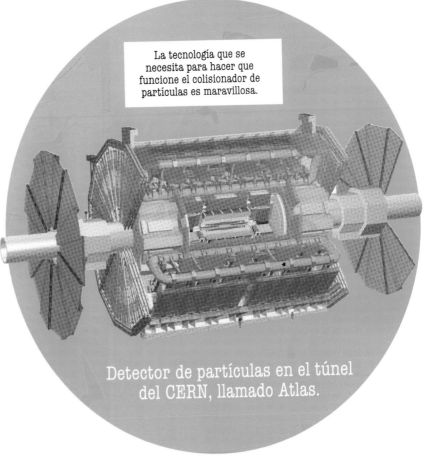

La tecnología que se necesita para hacer que funcione el colisionador de partículas es maravillosa.

Detector de partículas en el túnel del CERN, llamado Atlas.

También ha creado grandes avances en la programación de las computadoras.

Los experimentos científicos del colisionador producen 15 petabytes.

1 **petabyte** (PB)= 1,125,899,906,842,624 bytes

Los datos anuales que se manejan en las computadoras son iguales a los que caben en 1.7 millones de DVDs por los dos lados.

VideoCERNtro

En busca del Higgs perdido

¿QUÉ LE PASA A LA OVEJA?

¡PARECE QUE EL VIRUS LE QUITA ENERGÍA!

¡JAJAJAJAJAJA!

AY SÍ. PARECE UNA CIBERLLORONA.

LUEGO EN EL METRO...

TENEMOS QUE BAJAR EN LA ESTACIÓN POLITÉCNICO.

QUÉ BUENA ONDA QUE EL DOCTOR HERRERA NOS VA A RECIBIR EN EL CINVESTAV.

AL SALIR DEL METRO...

¡QUÉ EXTRAÑO! HAY DOS SOLES. ESTO ES IMPOSIBLE...

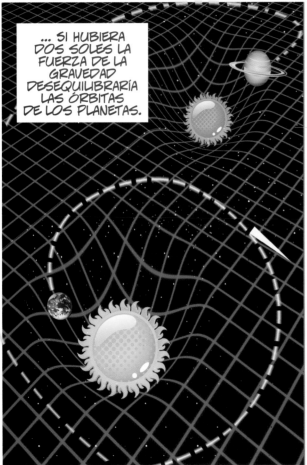

... SI HUBIERA DOS SOLES LA FUERZA DE LA GRAVEDAD DESEQUILIBRARÍA LAS ÓRBITAS DE LOS PLANETAS.

¿QUÉ ESTÁ PASANDO? ES COMO LA PELÍCULA LA GUERRA DE LAS GALAXIAS.

EL PASADO SE MEZCLA CON EL PRESENTE.

Y LOS EFECTOS SON ANTERIORES A LAS CAUSAS. ¡MIRA!

REVÉS AL CRECIÓ ÁRBOL EL.

¿DIJISTE QUE LO EN FIJASTE TE? REVÉS AL SALEN PALABRAS LAS. CIENCIA HACER DIFÍCIL MUY ES ASÍ.

¡SEMILLITA VOLVIÓ SE ÁRBOL EL!

¡FIN DEL PRINCIPIO EL ES ÉSTE! ¡AMOLAMOS NOS YA! ¡DESORDEN EL Y ENTROPÍA LA ES ESTO!

¡PERO VE ESO!

¡ZOMBIS!

MIRA, MIRA. YA DESAPARECIÓ UN SOL... Y SE VOLVIERON A ORDENAR LAS PALABRAS...

¡SUENA LÓGICO!

¿POR QUÉ?

PORQUE CUANDO SE BORRA LA MEMORIA DEL UNIVERSO DEJAN DE FUNCIONAR LAS NEURONAS ESPEJO.

¿ESPEJO? ¿NEURONAS?

SÍ. NEURONAS ESPEJO. LAS DESCUBRIÓ UN INVESTIGADOR DEL CEREBRO.

UN CIENTÍFICO ITALIANO ESTABA HACIENDO UN EXPERIMENTO CON MONOS...

... PARA DESCUBRIR LAS NEURONAS MOTORAS, LAS QUE SE ENCIENDEN EN EL CEREBRO CUANDO UNO HACE UN MOVIMIENTO, COMO TOMAR UN CACAHUATE.

UN DÍA AL CIENTÍFICO SE LE OLVIDÓ QUE LOS CACAHUATES ESTABAN AHÍ PARA EL EXPERIMENTO. EL MONO TENÍA TODAVÍA CONECTADO SU EQUIPO.

CUANDO EL CIENTÍFICO TOMÓ EL CACAHUATE, AL MONO SE LE ENCENDIERON LAS NEURONAS.

¡SE HABÍAN DESCUBIERTO LAS NEURONAS ESPEJO! ¡VER ES COMO HACER!

ES COMO CUANDO SE TE HACE AGUA LA BOCA. SIENTES LO QUE SIENTE EL OTRO COMO SI FUERA UN ESPEJO DE TI MISMO.

¿ÉSAS SON LAS NEURONAS QUE LES FALTAN A LOS ZOMBIS?

¡SÍ! LOS ZOMBIS NO TIENEN EMPATÍA. NO SABEN SENTIR LO QUE PASA DENTRO DE OTRA PERSONA.

¿TÚ SABES SENTIR LO QUE PASA DENTRO DE MÍ?

BUENO, TÚ SÍ TIENES ESAS NEURONAS DESPIERTAS, PERO HAY MUCHA GENTE QUE PARECE QUE VIVE COMO ZOMBI...

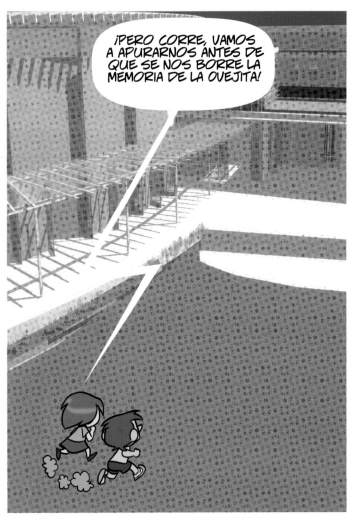

¡PERO CORRE, VAMOS A APURARNOS ANTES DE QUE SE NOS BORRE LA MEMORIA DE LA OVEJITA!

¡GRACIAS POR RECIBIRNOS!

¡CÓMO NO IBA A RECIBIR A UNOS MUCHACHOS QUE ME HABLAN POR TELÉFONO Y SABEN DEL BOSÓN DE HIGGS!

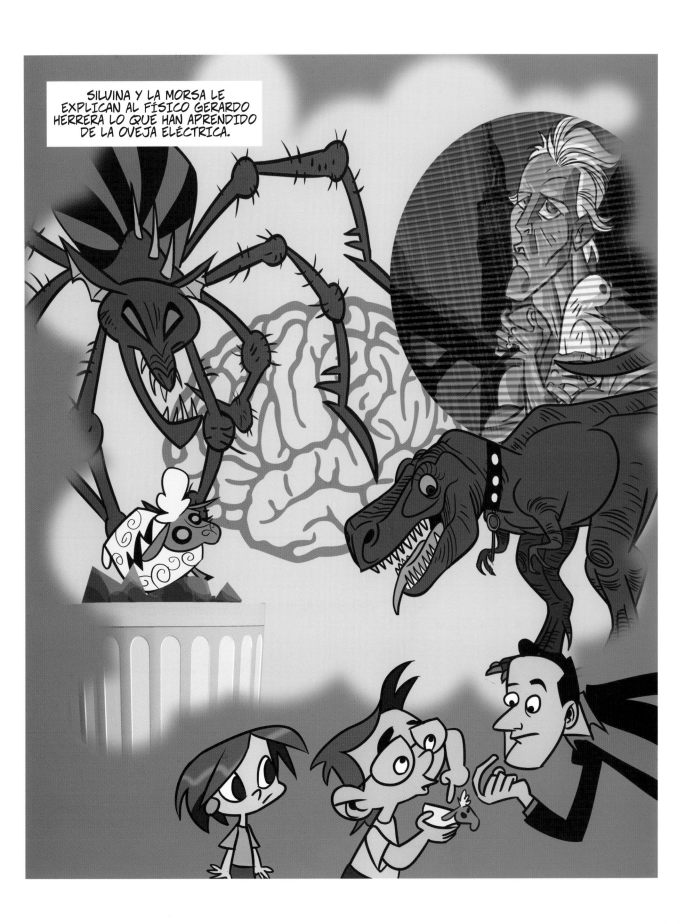

SILVINA Y LA MORSA LE EXPLICAN AL FÍSICO GERARDO HERRERA LO QUE HAN APRENDIDO DE LA OVEJA ELÉCTRICA.

LOS NIÑOS CONECTAN A LA OVEJA PARA VER SI AÚN FUNCIONA. LOS OJOS DE LA OVEJA TIENEN POCA ENERGÍA. SILVINA TRATA DE PONER UN EJEMPLO:

¿QUIÉN ES EL DOCTOR GERARDO HERRERA?

El doctor Gerardo Herrera es un destacado científico mexicano del CINVESTAV, el Centro de Investigación y Estudios Avanzados del Instituto Politécnico Nacional.

Ha trabajado durante varios años en el CERN, en Ginebra, Suiza, con un equipo mexicano que ha inventado un detector de rayos cósmicos y un aparato llamado VO que ha puesto en alto el nombre de Méxi...kkkkkst.

DESCONECTAN A LA OVEJA, QUE YA SE TRABÓ. LA MORSA LE EXPLICA AL FÍSICO LA NECESIDAD DE UN ANTIVIRUS.

¡SE VA A BORRAR LA MEMORIA DEL UNIVERSO!

GERARDO HERRERA LOS DIRIGE A UNA SUPERCOMPUTADORA PARA ANALIZAR A LA OVEJA.

HAY QUE LOCALIZAR LA SECUENCIA DIGITAL EN DONDE APARECE «3XZRANCIA». ME PARECE QUE TIENE UNA INFORMACIÓN OCULTA.

MIREN, CON EL CONOCIMIENTO QUE HEMOS LOGRADO EN SUIZA TENEMOS UN PROGRAMA MARAVILLOSO DE CRIPTOGRAFÍA QUE AYUDA A DESCIFRAR LO QUE ESTÁ ESCONDIDO.

VAMOS A APURARNOS PORQUE YA SE ME ESTÁ BORRANDO LA MEMORIA, Y MI ZAPATO. ¡MIREN!

¿QUÉ QUIERE DECIR «IGNO»?

LA MORSA TRATA DE ATAR LOS CABOS...

¿IGNO? ¡¿IGNO?!

¡CHISPAS!

¡ES EL VIRUS DE LA IGNORANCIA!

¡BUENÍSIMO!

¡BIEN HECHO, SILVINA!

EL CANIJO VIRUS DEJÓ SU HUELLA DIGITAL PARA PRESUMIR LO QUE HACE. HAY QUE CAMBIAR EL CÓDIGO.

CON LO QUE HEMOS HECHO EN EL COLISIONADOR DE PARTÍCULAS PODEMOS REESCRIBIR EL CÓDIGO Y CAMBIAR SU FUNCIONAMIENTO.

LA IGNORANCIA ES EL VENENO MÁS GRANDE QUE EXISTE. ¿SABÍAN QUE LA PALABRA VIRUS VIENE DEL LATÍN Y SIGNIFICA VENENO? LA CIENCIA ES EL ANTÍDOTO.

Y ADEMÁS ES DIVERTIDA. YO QUIERO JUGAR AJEDREZ CON LA OVEJA ELÉCTRICA.

YO QUIERO INVESTIGAR QUÉ HAY MÁS ALLÁ DEL BOSÓN DE HIGGS.

YO QUIERO SABER CON QUÉ SUEÑA LA OVEJA ELÉCTRICA.

José Gordon nació en la Ciudad de México en 1953. Es ensayista, novelista, guionista y conductor de televisión. Es creador de la serie «Imaginantes» y del programa «La Oveja Eléctrica». Colabora en la *Revista de la Universidad de México* y en el periódico *Reforma*. Como escritor destacan sus obras *Tocar lo invisible*, *El novelista miope y la poeta hindú* y *El cuaderno verde*. Su labor creativa en Canal 22 fue calificada por el escritor Augusto Monterroso como dignificante de los programas culturales de la televisión.

Ricardo Garcia Fuentes, «Micro», nació en la Ciudad de México en 1971. Es dibujante de historieta e ilustración. Destaca su trabajo en las revistas *Universo Big Bang* y *Mad México*. Ha ilustrado diversos títulos para DC Comics. Es autor de la novela gráfica *Micro, el niño milagro* y ha participado en producciones animadas como *Don Gato, la película* y *La Revolución de Juan Escopeta*. Colabora con APE Entertainment en *Cut the Rope*, la adaptación al cómic de la popular aplicación para tabletas.

La Oveja Eléctrica y la memoria del universo
se imprimió en Edamsa Impresiones S.A. de C.V.
Av. Hidalgo 111, colonia Fracc. San Nicolás Tolentino,
Iztapalapa, c.p. 09850, México D.F., México,
en el mes de julio de 2013.